享傳奇食材
做健康達人

「藥補不如食補」——食補是歷史悠久的養生觀念，而且是很講究的一門學問。所謂藥食同源，只要能選對食材，不但可以汲取豐富的營養，更能防病抗病；改變不良的飲食習慣，對不少慢性病患者也有裨益。

日常最為天然的中藥，也可以是美味的食材。如果能從自然食材的配搭中找到保健的方法，豈不是平凡生活中的一大樂事？

在物流發達的今天，人們已經可以非常方便地購買到來自世界各地的食材，豐富多元，餐桌上無國界的現象越來越普遍。面對種類多樣、數量龐大的食材，該如何進行選擇呢？

《餐桌上的中藥》系列搜羅當下保健功效顯著、味道佳，且餐桌使用頻率較高的中藥：杞子、白合、淮山、蓮子、桂圓、紅棗、黃芪等，分別編撰成冊，提供給讀者最實用的保健功效常識，推介鑑別真偽優劣的方法、應用、保存和食用宜忌等，重點介紹100餘款家庭食用方法。

相信在舉家圍坐餐桌、享受美食的過程中，你已不知不覺成為了健康達人。

目錄

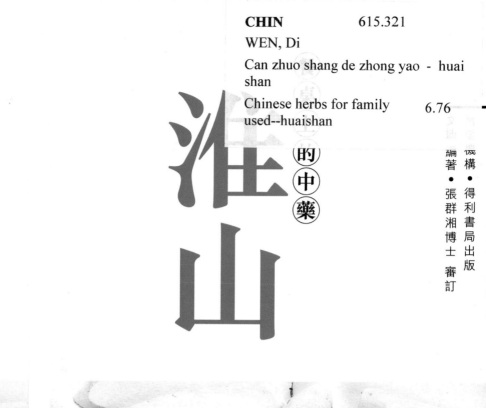

的 中 藥

淮山

機構 ・ 得利書局出版

編著 ・ 張群湘博士 審訂

餐桌上的中藥
淮山

編者
文迪

審訂
張群湘博士

責任編輯
余紅霞

攝影
Fanny

烹飪製作
梁綺玲

封面設計
任霜兒

版面設計
辛紅梅

出版者
萬里機構‧得利書局
香港鰂魚涌英皇道1065號東達中心1305室
電話：2564 7511　　傳真：2565 5539
網址：http://www.wanlibk.com

發行者
香港聯合書刊物流有限公司
香港新界大埔汀麗路36號中華商務印刷大廈3字樓
電話：2150 2100　　傳真：2407 3062
電郵：info@suplogistics.com.hk

承印者
中華商務彩色印刷有限公司

出版日期
二〇一〇年十一月第一次印刷

食材檔案

淮山

Huái Shān

Common Yam Rhizome / *Rhizoma Dioscoreae*

別名 山藥、薯蕷、懷山。

【科目來源】薯蕷科植物。淮山為薯蕷科多年生纏繞藤本，莖蔓生右旋，長達3米或以上。

【藥用部位】薯蕷的乾燥根莖。鮮淮山是珍貴的蔬菜，經加工烘乾的淮山則是常用的中藥材，東漢時期的《神農本草經》已把淮山列成上品，不過，當時的淮山是野生的，還未開始人工培植。

【性味歸經】淮山性平，味甘。歸脾、肺、腎經。

【功效分類】補虛藥，補氣藥。

【功效主治】淮山具有補脾養胃、生津益肺、補腎澀精的功效，主治脾虛食少、久瀉不止、肺虛喘咳、腎虛遺精、帶下、尿頻、虛熱消渴等。根據《神農本草經》記載；「山藥，久服耳目聰明。」可見淮山可以健腦和增強記憶。淮山還能夠滋養肌膚，具駐顏美容健美之效。

原株植物，圖片摘自《常用中藥材鑑別圖典》

鮮淮山營養成分	含量（每 100 克）
水分	84.8 克
蛋白質	1.9 克
脂肪	0.2 克
碳水化合物	11.6 克
膳食纖維	0.8 克
灰分	0.7 克
胡蘿蔔素	20 微克
維他命 A	7 微克
維他命 B_1	0.05 毫克
維他命 B_2	0.02 毫克
維他命 C	5 毫克
尼克酸	0.3 毫克
鈣	16 毫克
磷	34 毫克
鐵	0.3 毫克

鮮淮山還含有多種氨基酸、皂甙、膽鹼、黏液等成分。

作為藥材的淮山含有澱粉酶、菸酸、膽鹼、多酚氧化酶、黏液質、糖蛋白、自由氨基酸、脂肪、碳水化合物、維他命 C、鈣、磷、碘等。淮山所含的澱粉質能分解蛋白質和碳水化合物，因此有滋補的效用。

淮山滋養肺陰，益氣，能調節呼吸系統的功能。淮山還滋潤血脈，能夠防止脂肪積聚在心血管上。淮山也有健脾補胃的功效，能促進腸胃蠕動，幫助消化以及治療食慾不振、便秘等。淮山祛風解毒，可減少皮下脂肪積聚，對美容、養顏、纖體有一定功效。淮山清虛熱、止渴、止瀉，還有助消炎抑菌、調節細胞免疫功能。

影響血管系統

主要應用血管梗塞、冠心病

淮山含有黏蛋白、維他命及微量元素，能防止心血管系統脂肪沉積，保持血管彈性，預防動脈粥樣硬化，減少皮下脂肪積聚。淮山中的多巴胺能擴張血管，令血液循環得到改善。皂貳和鈣分別有助預防冠心病和心血管疾病。

降血糖 主要應用糖尿病

動物實驗顯示，淮山對四氧嘧啶引起的糖尿病模型有預防和治療作用，能有效抑制外源葡萄糖和腎上腺所引起的血糖升高。

 ## 影響消化系統

主要應用慢性胃炎、胃潰瘍、便秘、食慾不振

淮山中的澱粉酶、多酚氧化酶等物質能刺激胃腸道蠕動，並有助蛋白質和澱粉的分解，促進胃腸道內容物排空，能增強小腸的吸收功能，抑制血清澱粉酶的分泌，幫助消化。動物實驗顯示，淮山有效降低腎上腺素所產生的腸管緊張，令腸管恢復節律。

影響呼吸系統

主要應用慢性支氣管炎、咳嗽痰喘

淮山的根莖中含有一種抗二苯基苦基肼和羥自由基活性作用的蛋白質，還具有碳酸酐酶活性，能抑制胰蛋白酶活性等，從而調節體內酸鹼平衡，對呼吸系統有重要作用。

護肝 **主要應用脂肪肝**

淮山含有的膽鹼具有抵抗肝臟脂肪浸潤的功用，有助預防脂肪肝。

專家說法 影響免疫系統 主要應用免疫系統疾病

動物實驗顯示，淮山能有效對抗環磷酰胺的免疫抑制作用，也能增強淋巴細胞轉化率，增加T淋巴細胞數，促進血清溶血素的生成，從而有助調節細胞免疫和體液免疫的功能。

專家說法 抗腫瘤 主要應用預防及治療多種癌腫

淮山含有果膠，能增強T淋巴細胞的活性，提高網狀內皮系統的吞噬能力，從而增強免疫能力，抑制腫瘤細胞繁殖。

抗衰老 主要應用類風濕關節炎、硬皮病等

淮山中的黏蛋白能防止結締組織的萎縮，對預防膠原病
有一定幫助。淮山含有的氨基酸多達 18 種，當中的穀
氨酸是人體八種必需氨基酸之一，含量更高達 3.2 毫克，
可見淮山的營養價值很高，對老年人有健身延年的功效。

 抑菌

主要應用手足皸裂、魚鱗病、多種角化皮膚病等

研究發現，淮山中的尿囊素具有消炎抑菌的作用，而尿囊
素在皮膚科臨床正被廣泛應用作為外用製劑，可見淮山可
用來治療皮膚病。

養顏 主要應用美容消皺等

淮山含有大量澱粉質、蛋白質、維他命 B、維他命 C、維他命 E、葡萄糖、氨基酸、膽鹼等，營養價值很高，而當中的主要營養成分薯蕷皂是合成女性激素的先驅物質，具有滋陰和增強新陳代謝的功效，能滋養肌膚。

纖體 主要應用纖體減肥等

淮山含有足夠的纖維，食用後會產生飽漲感，減低食慾。淮山營養高、熱量低，多食用也不容易引致發胖，對纖體很有功效。

Q 淮山有哪些食用方法？

A 淮山可熟食、素食和用於藥膳，適宜於煮、炸、炒、燉、燴、燒等烹調方法，鹹甜皆宜。淮山還可製成粉，以及置酒中浸泡成不同的藥酒，滋補健體。

Q 淮山有哪些種類？

A 淮山是薯蕷的乾燥根莖，通常分為三種。

① 可新鮮食用的「鮮淮山」。

② 加工烘乾而成的「毛淮山」：在冬季薯蕷莖葉枯萎後採挖得來，切去根頭和洗淨，除去外皮和鬚根，曬乾或烘乾。

③ 加工烘乾而成的「光淮山」：選取肥大順直的乾燥淮山，放於水中浸泡至無乾心，然後切齊兩端，搓成圓柱形後曬乾。

Q 如何選購淮山？

A 「毛淮山」略呈圓柱形，彎曲面稍扁，直徑 1.5-6 厘米，長 15-30 厘米；表面是黃白或棕黃色，削去外皮後呈淺棕色，有縱皺和鬚根痕；斷面白色，呈顆粒狀或粉狀；重而堅實，不易折斷，無臭、味甘、微酸的為佳。

「光淮山」同樣是呈圓柱形，但兩端齊平，粗細均勻挺直，直徑 1.5-3 厘米，長 9-18 厘米；斷面白色，光滑圓潤，粉性足；以條粗、質堅實、色潔白、乾燥者為佳。

Q 怎樣分辨淮山的真偽？

A 偽品淮山多以苢蓿根加工而成，外形跟正品淮山很相似，只能從味覺和粉性去分辨，偽品淮山的粉性較正品淮山的不足，酸味也不及正品般重。

另外，也有以參薯冒充淮山，參薯同樣是薯蕷科植物的乾燥根莖，正品淮山周邊呈白色或淡黃色，有縱皺紋和鬚根痕，偶有殘留的淺棕色外皮；而偽品淮山周邊則呈淺黃棕色或黃棕色，帶刀削痕，會殘留棕褐色栓皮。

Q 如何處理新鮮淮山？

A 烹調食品前，先將新鮮淮山洗淨、去皮，皮薄而色淡的新鮮淮山可用刀輕刮或用絲瓜布搓洗；皮粗厚的新鮮淮山則用削皮刀去皮。由於淮山含有植物鹼，皮膚容易敏感的人在削皮時會發癢，所以削皮時宜戴手套。如出現發癢現象，應立刻把手浸泡在冰水中或用少許醋擦洗，再用食用油塗於手上可紓減痕癢。

淮山去皮和清洗切塊後，如非立刻烹煮，就應放入鹽水中浸泡，以防止氧化發黑，但浸泡時間不宜過久；也可放進保鮮袋中，再放進雪櫃中冷藏，待用。

Q 淮山入饌需要注意什麼？

A 為保持新鮮淮山的營養和保健功效，煮食時間不宜太久。淮山宜去皮食用，以免產生麻刺等異常口感。另外，淮山不宜與過鹼性食物一起入饌，避免淮山中的澱粉酶失去功效。

Q 如何貯藏淮山？

A 經烘乾的淮山要存放在通風乾燥的地方，並要注意防蛀。

新鮮淮山接觸鐵或金屬時容易形成褐化現象，所以最好用竹刀、塑膠刀或陶瓷刀切淮山，並可先在淮山的皮上切開成一條條線，然後用手剝開成段。

另外，淮山切口容易跟空氣中的氧氣產生氧化作用，所以可先放在米酒或鹽水中浸泡，再風乾，才用餐巾紙包好。如需存放數天，可再在外圍包幾層報紙，放置在陰涼的地方。

Q 哪些人不宜食用淮山？

A 淮山雖然屬補益食品，但有收澀作用，所以濕熱外感或便秘的人，均不宜單獨食用。

此外，凡是患有感冒、溫熱、實邪和腸胃積滯的人，也不宜食用淮山。

臨床研究發現，糖尿病患者如過度食用淮山，反而加重了病情，因此淮山治糖尿病多用配方，不宜單用。

式菜養營桌餐

淮山蓮子茶

用途	適用於脾腎兩虛。
材料	生切淮山、蓮子肉、白朮、茯苓、杞子、仙茅各 10 克，黃糖適量。
做法	1. 淮山、蓮子肉、白朮、茯苓、杞子和仙茅搗碎，放紗袋中。 2. 把紗袋放入水中煎煮 30 分鐘。 3. 拿走紗袋，加黃糖即成。
食用	代茶飲，宜頻飲用。

【功效】健脾益腎

用途 適用於腸胃功能紊亂、糖尿病。

材料 鮮淮山、天花粉各 100 克。

做法
1. 鮮淮山去皮，洗淨，切片，和天花粉一起烘乾。
2. 把淮山片和天花粉研成粉末，混合起來，放進瓶內密封貯存。
3. 每次飲用時，取 30 克粉末，放適量水中，用中火煮 20 分鐘，即可飲用。

食用 每天早、晚分飲。

天花粉

【功效】清熱生津・健脾益氣・降血糖

用途 適用於脾胃虛弱的妊娠嘔吐。

材料 生切淮山、太子參各 30 克。

做法
1. 淮山和太子參洗淨，放適量水中煎煮。
2. 煮滾後，隔渣取汁，即可飲用。

食用 每天 1 次。

太子參

【功效】健脾益胃・止嘔

白朮淮山桂圓飲

【功效】 健脾益胃固腎‧燥濕和中

用途 適用於脾腎虛弱型腹瀉。

材料 生切淮山、炒白朮各 30 克，桂圓肉 10 克。

做法 1.淮山、炒白朮和桂圓肉洗淨。
2.放水中煮滾，隔渣取汁即成。

食用 代茶飲，宜溫飲。

白朮

扁豆淮山荷葉飲

【功效】 健脾和胃‧消暑祛濕

用途 適用於食慾不振，腸胃不適。

材料 赤小豆、薏苡仁各 30 克，生切淮山、白扁豆各 15 克，鮮荷葉 ½ 張，燈芯草適量。

做法 1.材料洗淨，一起放入適量水中。
2.用小火慢慢煮滾，直至白扁豆和赤小豆熟爛。

食用 每天 1 次，空腹飲用。

白扁豆

淮山生地茯苓蜜

用途 適用於陰虛火旺。

材料 蜂蜜 500 毫升，生切淮山、生地、茯苓各 60 克。

做法
1. 淮山、生地和茯苓洗淨，放 3 大碗冷水中，用小火煎煮 40 分鐘，濾出頭汁 ½ 碗。
2. 再加冷水 1 大碗，煎煮 30 分鐘，至剩下 ½ 碗時，隔渣取汁。
3. 頭汁、二汁和蜂蜜拌勻，放進碗中並蓋好，用大火隔水蒸 2 小時。
4. 離火後待涼，放進瓶中密封。

食用 飯後飲用，每次用 1 湯匙調溫開水飲用。

蜂蜜

淮山西米露

【功效】補肺潤燥

用途 適用於肺燥咳嗽。

材料 鮮牛奶 200 毫升，鮮淮山 100 克，西米 20 克，冰糖適量。

做法
1. 西米洗淨，放水中煮 8-9 分鐘，沖冷水。
2. 淮山去皮，洗淨，切小粒，放水中煮熟，加冰糖煮熔。
3. 加西米和鮮牛奶，用小火邊煮邊攪拌，待西米呈透明狀，即成。

食用 當零食食用。

西米

淮山的生長習性

淮山適宜在高溫、乾燥的氣候下生長。淮山的塊莖在氣溫 10℃ 時開始萌動，最適合生長的氣溫是 25℃ -28℃。當氣溫降至 20℃ 以下時，淮山的生長速度會減慢，葉蔓遇霜更會枯死。淮山對土壤的要求不嚴，即使在山坡或平地，只要土質疏鬆、保水肥力強、土層深厚，就可栽種淮山。土層愈深，淮山的塊莖愈大、產量也愈多；如在稍黏重土中，塊莖會變得短小，但只要組織緊密，品質仍是優良。

淮山乳酪

【功效】滋補腸胃．養顏美容

用途 適用於腸胃不適，皮膚乾燥。

材料 乳酪 1 杯（240 毫升），鮮淮山 150 克，蜂蜜適量。

做法 1.淮山去皮，洗淨，切小塊。
2.淮山、乳酪和蜂蜜放進果汁機中，加 ½ 杯冷開水，攪拌成汁。

食用 每天 1-2 次。

淮山核桃飲

【功效】化痰潤肺．健脾補腎

用途 適用於肺腎兩虛型慢性支氣管炎。

材料 核桃仁 500 克，蜂蜜 500 毫升，生切淮山 200 克，冰糖 50 克。

做法 1.核桃仁放開水中浸泡 10 分鐘，切碎粒。
2.淮山洗淨，烘乾，研成粉末。
3.淮山、核桃仁、蜂蜜和冰糖放大碗中，加冰水 50 毫升，拌勻，加蓋。
4.用大火隔水蒸 3 小時，離火即成。

食用 每天早、晚各 1 次，每次用 10 毫升開水沖飲。

核桃仁

用途 適用於肺胃燥熱、肺腎陰虛的糖尿病。

材料 生切淮山、黃連各 15 克。

做法 1. 淮山和黃連洗淨,放適量水中煎煮。
2. 煮滾後,隔渣取汁,即成。

食用 每天 1 次。

【功效】補益氣陰‧清熱解毒

淮山

用途 適用於腸胃功能紊亂,皮膚乾燥。

材料 鮮淮山 100 克,蜂蜜適量。

做法 1. 鮮淮山去皮,洗淨,切小粒。
2. 淮山放入水中,用大火煮滾,改小火煮 30 分鐘。
3. 隔去淮山渣,待水溫降至70℃,加蜂蜜,拌勻即可飲用。

食用 每天 1 次,代茶飲用。

【功效】滋補脾胃‧潤腸通便‧護膚美顏

淮山蔗汁

用途 適用於支氣管炎，咳嗽痰喘。

材料 鮮淮山 500 克，杏仁、百合各 100 克，甘蔗汁 2 杯。

做法 1.杏仁、百合洗淨，用 6 杯水煮熟。
2.鮮淮山去皮，洗淨，切片，放入水中一起煮滾。
3.加甘蔗汁續煮滾，即可飲用。

食用 每天 2 次，連飲數天。

【功效】 止咳益肺

【功效】 清熱生津

用途 適用於兒童夏季熱。

材料 生切淮山 10 克,葛根 6 克,棗皮 5 克,五味子、麥冬、雞內金各 3 克,冰糖適量。

做法
1. 淮山、葛根、棗皮、五味子、麥冬和雞內金洗淨,放適量水中煎煮。
2. 煮滾後,加冰糖,待冰糖煮熔,即成。

食用 代茶飲用。

葛根

【功效】 滋養脾陰‧益氣和中

用途 適用於兒童胃口不佳。

材料 鮮淮山 10 克,米湯 20 毫升。

做法
1. 鮮淮山烘乾,研成粉末。
2. 把淮山粉末放杯中,倒入煮滾的米湯,拌勻即可飲用。

食用 每天 1-2 次,宜常飲用。

鮮淮山

淮山雪耳甜湯

【功效】健胃益氣

用途 適用於胃潰瘍，十二指腸潰瘍。

材料 鮮淮山 50 克，雪耳 10 克，紅棗 20 顆，水果粒、冰糖各適量。

做法
1. 紅棗洗淨，去核，放水中浸泡至發漲。
2. 淮山去皮，洗淨，磨成泥。
3. 雪耳放水中浸發，除去雜質，去蒂，洗淨，放進攪拌機，加 2 杯水打成漿。
4. 雪耳漿、紅棗和冰糖放水中煮，煮滾後邊加淮山泥邊攪拌，拌勻後加水果粒即成。

食用 當點心食用。

雪耳

淮山綠豆甜湯

【功效】清熱解毒・益氣降壓

用途 適用於腎臟病患，高血壓。

材料 生切淮山 80 克，綠豆 50 克，薏苡仁、蜂蜜各 30 克。

做法
1. 綠豆和薏苡仁洗淨，放水中浸泡 1 小時。
2. 淮山洗淨，切小粒。
3. 把淮山、綠豆和薏苡仁放水中煮滾，改小火煮 20 分鐘，離火，加蜂蜜拌勻。

食用 每天早、晚分食。

綠豆

雪耳准山蓮子蛋甜湯

用途 適用於脾肺兩虛型慢性支氣管炎。

材料 生切准山 25 克，蓮子 15 克，雪耳 8 克，雞蛋 3 隻，冰糖適量。

做法
1. 蓮子放溫水中浸泡 ½ 小時，切成兩半，去芯，再放冷水中浸泡。
2. 雪耳放溫水中浸發，除去雜質，去蒂，洗淨，撕成小朵。
3. 准山放水中浸軟，洗淨。
4. 准山、雪耳和蓮子放水中煎煮至熟爛，打入雞蛋煮熟，再加冰糖煮至溶化即成。

食用 佐餐食用。

【功效】滋陰潤肺·健脾補氣

蓮子

核桃准山蓮子黑豆糊

用途 適用於兒童多汗伴腹瀉不止。

材料 核桃仁、蓮子肉各 300 克，生切准山、黑豆各 150 克。

做法
1. 准山、核桃仁、蓮子肉和黑豆分別搗碎，研成粉末。
2. 各粉末混合拌勻，放蒸鍋中蒸熟，晾乾，放瓶內密封。
3. 按兒童年齡大小取蒸粉 30-90 克，用冷水調成糊狀，煮滾即可。

食用 每天 2 次，經常食用。

【功效】健脾補腎·斂陰止汗

黑豆

准山的生長分佈

現時，准山多是人工培植，主要產於中國河南、湖南、江西、廣西、四川、陝西等省區。准山是高產高效經濟作物，因此是中國發展高效農業的理想產品，開發前量極為廣闊，河北保定市蠡縣更被中國國家農業部命名為「中國山藥之鄉」。

淮山黑芝麻糊

【功效】滋補肝腎

用途 適用於肝腎陰虛的慢性肝炎。

材料 鮮牛奶 200 毫升，黑芝麻 150 克，冰糖 100 克，粳米 60 克，生切淮山 15 克，玫瑰糖 6 克。

做法
1. 用水浸泡粳米 1 小時，撈出瀝乾。
2. 淮山去皮，洗淨，切小粒。
3. 炒香黑芝麻，加粳米、鮮牛奶和水拌勻，放入攪拌機內，攪拌成漿，濾出漿水。
4. 冰糖放入水中小火煮熔，加漿水拌勻，再加玫瑰糖，邊煮邊攪拌，直至成糊。

食用 每天 2 次，當零食食用。

鮮牛奶

淮山酒

【功效】補腎固精

用途 適用於腎陰不足引致的骨質疏鬆，腰痛腿軟遺精。

材料 黃酒 1500 毫升，鮮淮山 250 克，蜂蜜適量。

做法
1. 淮山去皮，洗淨。
2. 把 1000 毫升黃酒煮滾，加淮山，改放蒸鍋中蒸 20 分鐘。
3. 加入餘下的 500 毫升黃酒，繼續蒸 20 分鐘。
4. 取出淮山，加蜂蜜拌勻。

食用 每天 2 次，每次飲用 30 毫升。

桑寄鮮淮山煮雞蛋

【功效】 補血益氣

用途 適用於氣血虛弱。

材料 鮮淮山、桑寄生各 30 克，紅棗 20 顆，雞蛋 2 隻，冰糖適量。

做法
1. 淮山去皮，洗淨，切片；桑寄生、紅棗和雞蛋洗淨。
2. 將處理好的材料放適量水中，用大火煮 ½ 小時。
3. 雞蛋剝殼後再放入同煮 ½ 小時至 1 小時，加冰糖煮至溶化，即成。

食用 連雞蛋食用，1 天內食完。

注意事項：血熱者不宜食用。

桑寄生

淮山芝麻湯圓

【功效】 健脾益腎

用途 適用於脾虛食少，骨質疏鬆，腎精虧損。

材料 糯米粉250克，生切淮山50克，黑芝麻30克，白糖90克。

做法
1. 淮山搗碎，蒸熟。
2. 黑芝麻炒香，加淮山碎和白糖，拌勻成湯圓餡。
3. 糯米粉加水搓成軟糰，再分成小粉糰。
4. 把適量湯圓餡放在小粉糰中，搓成湯圓，放滾水中，煮熟即成。

食用 當點心食用。

黑芝麻

湯羹

扁豆陳皮淮山煲尾龍骨

【功效】健脾袪濕‧理氣和胃

用途 適用於糖尿病併見疲倦乏力，頭身困重，口渴面黃，食慾不振，噁心嘔吐，小便不利等。

材料 尾龍骨 480 克，白扁豆、生切淮山各 40 克，陳皮 ¼ 個，雲苓 20 克，老薑 2 片，鹽適量。

做法
1. 白扁豆、淮山、雲苓洗淨，瀝乾水分；陳皮洗淨，浸軟，去內瓤。
2. 尾龍骨斬件，汆水，洗淨。
3. 湯煲加適量水，放入以上材料，大火煮滾，改小火煮 2 小時，下鹽調味。

食用 佐餐食用。

猴頭菇淮杞豬骨湯

用途 用於糖尿病併見腰膝痠軟、氣短乏力、視力減退、血脂高、血壓高。

材料 西施骨 320 克，猴頭菇 80 克，鮮淮山 20 克，杞子、玉竹各 12 克，鹽適量。

做法
1. 西施骨斬件，汆水，洗淨。
2. 猴頭菇洗淨，浸軟，切件；杞子、玉竹洗淨。
3. 淮山放入溫淡鹽水中浸 20 分鐘，稍洗去以上面的白色粉末。
4. 煲內加適量水，放入以上材料，大火煮滾，改小火煮 2½ 小時，下鹽調味。

食用 佐餐食用。

【功效】益氣養陰‧調補肝腎‧降壓降糖

羅漢果淮山湯

用途 適用於肺癌。

材料 豬排骨 300 克，生切淮山、玉竹、蓮子各 20 克，薏苡仁、杞子各 10 克，桂圓肉 12 克，羅漢果 5 克，紅棗 3 顆，鹽適量。

做法
1. 豬排骨斬件，汆水，洗淨。
2. 淮山、玉竹、蓮子、薏苡仁、杞子、桂圓肉、羅漢果和紅棗洗淨，放煲內，加適量水煎煮。
3. 煮滾後，隔去湯渣，加豬排骨，大火煮滾，改小火煮至豬排骨熟透，下鹽調味。

食用 每天 1 次，飲湯食肉，可經常食用。

【功效】健脾益氣‧潤肺止咳

豬排骨

人參淮山豬髓湯

【功效】 滋補五臟

用途 適用於頭暈耳鳴,肢體痿軟。

材料 豬脊髓 1 副,生切淮山 80 克,黃精 30 克,人參、杞子各 15 克,紅糖適量。

做法
1. 人參、淮山洗淨,切小粒;黃精洗淨,剁碎;杞子洗淨,浸泡 10 分鐘。
2. 人參、淮山、黃精放煲內,加適量水,煮 1 小時,再加豬脊髓、杞子、紅糖,用中火煮 10 分鐘即成。

食用 佐餐食用。

人參

天麻靈芝淮山瘦肉湯

【功效】 健脾醒腦‧增強體質

用途 適用於胃口欠佳,免疫力下降引致經常感冒。

材料 豬瘦肉 350 克,生切淮山 25 克,天麻 15 克,靈芝 10 克,蜜棗 3 顆,鹽適量。

做法
1. 豬瘦肉洗淨,切塊,汆水。
2. 淮山、天麻、靈芝和蜜棗洗淨。
3. 淮山、天麻和靈芝放煲內,加適量水,煮滾後加豬瘦肉和蜜棗,改用小火煮 2 小時,下鹽調味。

食用 佐餐食用。

天麻

粟米鬚淮山豬橫脷湯

用途 適用於糖尿病。

材料 豬橫脷 1 條，豬瘦肉 100 克，生切淮山 30 克，粟米鬚 20 克，天花粉 10 克，鹽適量。

做法
1. 豬橫脷洗淨，汆水，刮去表面的黏膜。
2. 豬瘦肉洗淨，切塊，汆水。
3. 淮山、粟米鬚、天花粉洗淨。
4. 將以上材料放煲內，加適量水，煮滾，改小火煮 2 小時，下鹽調味。

食用 佐餐食用。

粟米鬚

【功效】益氣陰・降血糖

南北杏茯苓淮山瘦肉湯

用途 適用於支氣管炎，咳嗽痰多，久咳聲嘶。

材料 豬瘦肉 300 克，生切淮山、南杏仁、茯苓各 20 克，北杏仁、桑白皮各 10 克，蜜棗 3 顆，鹽適量。

做法
1. 豬瘦肉洗淨，切塊，汆水。
2. 南杏仁、北杏仁洗淨，放溫水中浸泡，除去外皮和尖。
3. 淮山、茯苓、桑白皮洗淨。
4. 處理好的藥材放煲內，加適量水煮滾，加豬瘦肉和蜜棗煮滾，改小火煮 2 小時，下鹽調味。

食用 佐餐食用。

【功效】健脾益氣・止咳化痰

淮山扁豆瘦肉湯

【功效】 健脾止瀉‧益胃和中

用途 適用於兒童脾胃虛弱引致的腹瀉。

材料 豬瘦肉 60 克，生切淮山、扁豆各 12 克，鹽適量。

做法
1. 豬瘦肉洗淨，切塊，汆水。
2. 淮山和扁豆洗淨，放水中浸泡 ½ 小時。
3. 以上材料放煲內，加適量水，大火煮滾，改小火煮 2 小時，下鹽調味。

食用 佐餐食用。

扁豆

淮山栗子羹

【功效】 健脾固腎‧益氣強壯

用途 適用於氣虛體弱型胎兒宮內生長遲緩。

材料 栗子肉 250 克，豬瘦肉 200 克，生切淮山 25 克。

做法
1. 栗子肉放熱水中浸泡，除去外皮，洗淨。
2. 豬瘦肉洗淨，切塊，汆水，過冷河。
3. 所有材料放鍋內，加適量水，用小火燜煮，直至熟爛。

食用 飲湯食肉。

淮山的形態特徵
淮山為薯蕷科多年生纏繞藤本，莖蔓氏右旋，長達 3 米以上。葉片呈心臟形或箭頭形，葉腋間常生 1-3 個珠芽（氣生塊莖），也稱為零餘子（淮山蛋），用來繁殖或可食用。在地下生長的是具肉塊莖，分為棍棒狀、掌狀和塊狀三類，表皮粗糙，呈淡黃褐色或黑褐色，表面密生鬚根。春季時，淮山塊莖上生出不定芽，肉白色或淡紫色。夏季時，正是開花的時候，花單生，乳白色少有結實。現時，一般採用塊莖繁殖。

淮山胡椒根豬肚湯

【功效】健脾益氣 · 溫中暖胃

用途 適用於胃寒引起的胃痛,神疲短氣。

材料 豬肚 500 克,生切淮山、胡椒根、黨參各 20 克,蜜棗 2 顆,薑、鹽各適量。

做法
1. 翻轉豬肚,清洗,用生粉和鹽反覆搓擦,直至除去所有黏液和異味,汆水,再刮去黏垢,洗淨。
2. 淮山、黨參、蜜棗洗淨;胡椒根洗淨,放水中浸泡。
3. 在煲內加適量水煮滾,加入材料,改小火煮 3 小時,取出豬肚切成小塊。
4. 把豬肚放回煲內,煮 10 分鐘,下鹽調味。

食用 佐餐食用。

黨參

淮山蓮子扁豆豬肚湯

【功效】健脾益氣和胃

用途 適用於病後脾胃虛弱引致的面色不佳,胃口欠佳。

材料 豬肚 400 克,豬瘦肉 100 克,生切淮山、炒扁豆各 20 克,蓮子 15 克,蜜棗 3 顆,鹽適量。

做法
1. 翻轉豬肚,清洗,用生粉和鹽反覆搓擦,直至除去所有黏液和異味,汆水,再刮去黏垢,洗淨。
2. 淮山、炒扁豆、蓮子、豬瘦肉洗淨,瘦肉汆水。
3. 淮山、炒扁豆和蓮子放煲內,加適量水煮滾,加豬肚、豬瘦肉和蜜棗煮滾,改用小火煮 3 小時。
4. 取出豬肚,切成小塊,放回煲內再煮 10 分鐘,下鹽調味。

食用 佐餐食用。

益智仁淮杞豬腦湯

【功效】 健脾補血・益智健腦

用途 適用於記憶力減退，學習能力下降，頭目昏矇。

材料 豬腦 1 副，生切淮山、益智仁各 20 克，杞子 10 克，薑片、鹽各適量。

做法
1. 豬腦輕輕放水中清洗，除去表面的黏液，刮去黏膜，挑去血絲筋膜，洗淨，稍為汆燙，撈起。
2. 淮山、益智仁、杞子洗淨，放水中浸泡；薑片洗淨。
3. 將以上材料放入燉盅，加適量開水，加蓋隔水燉 3 小時，下鹽調味。

食用 佐餐食用。

益智仁

淮山杞子牛肉湯

【功效】 滋陰健脾抗癌

用途 適用於前列腺癌。

材料 牛肉 150 克，生切淮山、杞子各 15 克，薑、葱、蒜、鹽各適量。

做法
1. 生切淮山、杞子洗淨；薑洗淨，切絲；葱、蒜洗淨，分別切小粒。
2. 牛肉洗淨，切片。
3. 淮山、杞子、牛肉和薑絲放鍋內，加適量水，用大火煮滾，改小火燉至牛肉熟透，加葱粒和蒜茸，下鹽調味。

食用 佐餐食用。每天 1 次，可經常食用。

杞子

淮山茯苓棗蓮牛肉湯

用途 適用於心脾兩虛失眠。

材料 牛肉 250 克，生切淮山 50 克，茯苓、紅棗、蓮子、小茴香各 30 克，鹽適量。

做法
1. 淮山、茯苓、紅棗、蓮子洗淨，蓮子去芯；茯苓放紗袋中。
2. 牛肉洗淨，切片。
3. 牛肉和蓮子放煲內，加適量水，煮至牛肉半熟，再加淮山、紗袋、紅棗和小茴香，改小火煮至牛肉爛熟，下鹽調味。

食用 佐餐食用。

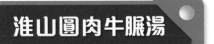

紅棗

【功效】健脾益氣．寧神養氣

淮山圓肉牛膕湯

用途 適用於氣血虛弱之氣短乏力，胃口欠佳，面色無華，視物模糊。

材料 牛膕 500 克，圓肉、鮮淮山各 40 克，杞子 25 克，薑 2 片，鹽 ½ 茶匙。

做法
1. 杞子、圓肉浸洗乾淨；淮山去皮，洗淨，切塊。
2. 牛膕洗淨，切厚件，氽水。
3. 將以上材料與適量水一起放入煲中，大火煮滾，改小火煮 2½ 小時，下鹽調味。

食用 佐餐食用。

圓肉

【功效】健脾益氣．養血明目

巴戟天淮山羊骨湯

【功效】補益肝腎．健脾益氣

用途 適用於虛勞羸瘦，腎臟虛冷，腰脊轉動不利，腿膝無力，筋骨攣痛，脾胃虛弱，久瀉，久痢，以及血虛頭暈。

材料 羊骨 1200 克，巴戟天 100 克，淮山 25 克，薑 2 片，紅棗 10 顆，鹽適量。

做法
1. 羊骨洗淨，斬件，汆水。
2. 巴戟天、淮山、薑分別洗淨。
3. 紅棗洗淨，去核。
4. 將以上材料放入煲內，加適量水，大火煮滾，改小火煮 3 小時，下鹽調味。

食用 佐餐食用。

巴戟天

羊肉淮山奶羹

【功效】溫中補虛．益精補氣

用途 適用於骨質疏鬆。

材料 羊肉 250 克，牛奶 250 毫升，生切淮山 80 克，薑適量。

做法
1. 淮山洗淨，切小塊；薑洗淨，切片。
2. 羊肉洗淨，切塊，汆水。
3. 羊肉、薑片放煲內，加適量水，大火煮滾，改小火燉 2 小時，取出羊肉用筷子把羊肉攪爛，湯汁留起。
4. 羊肉湯汁倒進另一煲內，加淮山燜煮至熟爛，放進羊肉碎和牛奶，煮滾即成。

食用 佐餐食用。

羊肉

蟲草蓮子淮山羊肉湯

用途 適用於脾腎陰虛的貧血。

材料 羊肉 750 克，蓮子 100 克，生切淮山 30 克，冬蟲夏草 10 克，杞子 15 克，蜜棗 4 顆，薑、鹽各適量。

做法
1. 羊肉洗淨，切塊，汆水，去除羶味。
2. 蓮子洗淨，去芯；淮山、冬蟲夏草和杞子、薑洗淨。
3. 以上材料放煲內，加適量水和蜜棗，大火煮滾，改小火煮 3 小時，下鹽調味。

食用 佐餐食用。

【功效】補肝固腎‧益精壯陽

冬蟲夏草

首烏淮山黑豆雞湯

用途 適用於頭髮花白。

材料 光雞 ½ 隻，黑豆 120 克，何首烏 30 克，生切淮山 10 克，薑、鹽各適量。

做法
1. 淮山、何首烏、黑豆、薑洗淨，黑豆用溫水浸泡 ½ 小時。
2. 雞洗淨，汆水撈出。
3. 將以上材料放煲內，加適量水，大火煮滾，改小火煮 2 小時，下鹽調味。

食用 每天 1 次。

【功效】補精髓‧黑髮‧強壯筋骨

何首烏

淮山栗子鮮雞湯

【功效】健脾補益·開胃消食

用途 適用於兒童脾胃虛弱，胃口欠佳，消化不良。

材料 光雞 1 隻，生切淮山 20 克，栗子 100 克，蜜棗 2 顆，鹽適量。

做法
1. 淮山洗淨，放水中浸泡 30 分鐘。
2. 栗子剝去硬殼，放熱水中浸泡，除去外皮，洗淨。
3. 雞除去內臟，洗淨，斬件，汆水。
4. 將以上材料放煲內，加適量水，大火煮滾，改小火煮 2 小時，下鹽調味。

食用 佐餐食用。

淮山黑棗雞腳湯

用途　適用於氣血虛弱之氣短乏力，面色無華，膚燥多皺。

材料　雞腳8隻，豬肉250克，鮮淮山50克，黑棗10顆，薑2片，鹽適量。

做法
1. 黑棗洗淨；淮山去皮，洗淨，切塊；薑片洗淨。
2. 雞腳切去雞趾尖，用少許鹽搓擦，去除異味，洗淨。
3. 將雞腳、豬肉放入滾水煮5分鐘，取出過冷河。
4. 煲內加適量水，放入以上的材料，大火煮滾，改小火煮3小時，下鹽調味。

食用　佐餐食用。

淮山響螺雞湯

【功效】 滋陰補腎

用途　適用於腎陰虧虛的慢性前列腺炎。

材料　光雞1隻，響螺肉、豬瘦肉各150克，生切淮山25克，杞子、桂圓肉各15克，薑、鹽各適量。

做法
1. 淮山、杞子、桂圓肉和薑洗淨。
2. 雞除去內臟，洗淨，汆水。
3. 響螺肉、豬瘦肉分別洗淨，汆水。
4. 煲內加適量水，放入以上材料，大火煮滾，改小火煮3小時，下鹽調味。

食用　佐餐食用。

桂圓肉

黃精淮山烏雞湯

【功效】滋陰補腎

用途 適用於腎陰虛的更年期綜合症。

材料 烏雞 1 隻，鮮淮山 150 克，黃精 30 克，薑 3 片，鹽適量。

做法
1. 烏雞除去內臟，洗淨，斬件，汆水，沖去血污。
2. 淮山去皮，洗淨，切塊；黃精、薑片洗淨。
3. 將以上材料放入燉盅，加適量滾水，隔水燉 2 小時，下鹽調味。

食用 佐餐食用。

黃精

淮山烏雞湯

【功效】補腎養肝‧調養氣血

用途 適用於肝腎兩虛，氣血不足之腰膝痠軟，尿頻清長，氣短乏力，頭暈目眩。

材料 烏雞 1 隻，鮮淮山 240 克，蓮子 80 克，紅棗 8 顆，薑 3 片，葱 1 條，鹽適量。

做法
1. 烏雞除去內臟，洗淨，斬件，汆水，沖去血污。
2. 淮山去皮，洗淨，切塊；紅棗、蓮子用冷水浸透；葱洗淨，切長段。
3. 燒熱油鑊，雞塊稍爆香，放入薑、葱、蓮子，注入適量水，大火煮滾，撇去油和泡沫。
4. 改小火煮 15 分鐘後放入淮山，改小火續煮約 ½ 小時，下鹽調味。

食用 佐餐食用。

鮮蓮子淮山芡實烏雞湯

用途 適用於妊娠期脾胃虛弱，胃口欠佳。

材料 烏雞 1 隻，鮮淮山 60 克，鮮蓮子 50 克，鮮芡實 30 克，薑、
生粉、糖、生抽、鹽各適量。

做法
1. 烏雞除去內臟，洗淨，斬件，用生粉、鹽、糖、生抽、薑絲醃 20 分鐘。
2. 淮山去皮，洗淨；蓮子去芯，與芡實分別洗淨；薑洗淨，切絲。
3. 淮山、蓮子、芡實放煲內，加適量水，大火煮滾，改小火煮 20 分鐘，加烏雞續煮，用小火煮至爛熟，下鹽調味。

食用 佐餐食用。

芡實

【功效】固腎安胎

淮山玉竹老鴨湯

用途 適用於冠心病。

材料 老鴨 1 隻，生切淮山 15 克，石菖蒲、玉竹各 10 克，薑、
鹽各適量。

做法
1. 老鴨除去內臟，洗淨，斬件，汆水。
2. 淮山、石菖蒲、玉竹洗淨，放紗袋中；薑洗淨。
3. 老鴨、紗袋、薑放煲內，加適量水，大火煮滾，改小火煮至鴨肉爛熟，下鹽調味。

食用 佐餐食用。

石菖蒲

【功效】健心益氣．祛痰潤肺

太子參淮杞燉乳鴿湯

【功效】 益氣養陰

用途 適用於糖尿病併見疲倦乏力、口渴咽乾、氣短眼矇、胃口欠佳等。

材料 豬䐑 80 克，乳鴿 ½ 隻，生切淮山、太子參各 20 克，杞子 16 克，薑 1 片，鹽適量。

做法
1. 乳鴿劏洗淨，斬件，汆水。
2. 豬䐑洗淨，切粒，汆水；薑片洗淨；其他材料洗淨。
3. 將以上材料放入燉盅，加適量水，隔水燉 2 小時，下鹽調味。

食用 佐餐食用。

乳鴿

鹿茸老鴿淮山瑤柱湯

【功效】 補腎壯陽・補益精血

用途 適用於腎陽不足、精血虧虛，小便頻密。

材料 老鴿 1 隻，生切淮山 40 克，鹿茸片 20 克，乾瑤柱 30 克，薑、鹽各適量。

做法
1. 老鴿除去內臟，洗淨，汆水。
2. 淮山、鹿茸片、薑洗淨；乾瑤柱洗淨，放水中浸泡。
3. 將以上材料放煲內，加適量水，大火煮滾，改小火煮 2 小時，下鹽調味。

食用 佐餐食用。

瑤柱

杜仲淮山鵪鶉湯

【功效】 養肝益腎‧強筋壯骨

用途 適用於腰腿疼痛。

材料 鵪鶉 1 隻，生切淮山 60 克，杜仲 30 克，紅棗 3 顆，薑、鹽各適量。

做法
1. 鵪鶉除去內臟，洗淨，汆水。
2. 紅棗去核，淮山、杜仲、紅棗和薑洗淨。
3. 將以上材料放燉盅內，加適量水，蓋好，隔水燉 2 小時，下鹽調味。

食用 佐餐食用。

杜仲

黨參淮山鵪鶉湯

【功效】 健脾補虛

用途 適用於胃下垂。

材料 鵪鶉 1 隻，生切淮山、黨參各 30 克，薑、鹽各適量。

做法
1. 鵪鶉除去內臟，洗淨，斬件，汆水。
2. 淮山、黨參洗淨。
3. 將以上材料放燉盅內，加適量水，蓋好，隔水燉 2 小時，下鹽調味。

食用 佐餐食用。

黨參

山楂淮山鯉魚湯

用途 適用於肝脾不調型急性無黃疸型肝炎。

材料 鯉魚 1 條，淮山、山楂各 30 克，薑片、鹽各適量。

做法
1. 淮山、山楂和薑片洗淨。
2. 鯉魚除去鱗、鰓和內臟，洗淨，切成塊，放油鑊中，加薑片爆香。
3. 將以上材料放煲內，加適量水，大火煮滾，改小火煮 2 小時，下鹽調味。

食用 飲湯食肉，份量隨意。

注意事項：胃酸過多者不宜食用。

【功效】補脾健胃．消食導滯

天麻淮山杞子魚頭湯

用途 適用於失眠，胃口欠佳。

材料 魚頭 350 克，生切淮山 25 克，天麻、杞子各 15 克，薑片、鹽各適量。

做法
1. 魚頭除去鰓，洗淨。
2. 淮山、天麻、杞子洗淨。
3. 薑片放熱油中，將魚頭煎至兩面金黃色，再加少量水煮至魚湯呈乳白色。
4. 淮山、天麻、杞子、魚頭連湯汁放鍋內，加適量水，大火煮滾，改小火煮 45 分鐘，下鹽調味。

食用 佐餐食用。

【功效】 健脾安神

天麻

淮山生地水魚肉湯

用途 適用於腎虛的前列腺增生。

材料 水魚 1 隻，生切淮山、生地各 30 克，葱、薑、鹽各適量。

做法
1. 水魚放入滾水中煮滾，切去四肢，剝去表皮，去內臟，斬件，洗淨。
2. 其他材料洗淨，薑切片；葱切段。
3. 將以上的材料放鍋內，加適量水，大火煮滾，改小火煮 2 小時，下鹽調味。

食用 適量食用或佐餐食用。

【功效】 滋陰補腎

生地

51

淮山杞子天麻水魚湯

【功效】健脾益血

用途 適用於頭暈頭痛，視力、聽力下降，胃口欠佳。

材料 水魚 350 克，生切淮山 25 克，杞子、天麻各 15 克，薑片、鹽各適量。

做法
1. 水魚放入滾水中煮滾，切去四肢，剝去表皮，去內臟，斬件，洗淨。
2. 淮山、杞子、天麻洗淨。
3. 將以上的材料放燉盅內，加適量熱水，蓋好，隔水燉 3 小時，下鹽調味。

食用 佐餐食用。

杞子

淮山芡實水魚湯

【功效】養肝固腎‧健脾和胃

用途 適用於更年期肝脾腎虛弱所致疲倦乏力、記憶減退、帶下以及小便頻數、易腹瀉等。

材料 水魚 1 隻，瘦肉 160 克，鮮淮山 80 克，紅棗 10 粒，芡實 40 克，杞子 1 茶匙，薑 1 塊，陳皮 ¼ 個，鹽適量。

做法
1. 水魚放入滾水中煮滾，切去四肢，剝去表皮，去內臟，斬件，洗淨。
2. 瘦肉切塊，汆水，洗淨。
3. 其他材料分別洗淨，薑切片；紅棗去核；陳皮浸軟，去內瓤。
4. 燒熱油鍋，爆香薑片，將水魚稍爆片刻，煮滾適量水，放入以上材料，大火煮滾，改小火煮 2 小時，下鹽調味。

食用 佐餐食用。

水魚

淮山猴頭菇鯽魚湯

用途　適用於胃痛，胃炎、胃潰瘍引致胃口欠佳。

材料　鯽魚 1 條，生切淮山、猴頭菇、蓮子各 30 克，紅棗 6 顆，薑片、鹽各適量。

做法
1. 淮山洗淨；蓮子去芯，洗淨；紅棗去核，洗淨；薑片洗淨。
2. 猴頭菇放水中浸泡，洗淨，切開。
3. 鯽魚除去鱗、鰓和內臟，洗淨，和薑片放熱油中，煎至兩面金黃色，加少量水煮至湯汁呈乳白色。
4. 淮山、蓮子、紅棗、猴頭菇、鯽魚連湯汁放鍋內，加適量水煮滾，改小火煮 2 小時，下鹽調味。

食用　佐餐食用。

【功效】健脾益胃

蟲草淮山鱺魚肉湯

用途　適用於病後肺脾腎虛弱引致的感冒、咳喘和疲累乏力。

材料　豬瘦肉 100 克，乾鱺魚肉 20 克，生切淮山 25 克，冬蟲夏草 3 克，薑片、鹽各適量。

做法
1. 豬瘦肉洗淨，汆水。
2. 乾鱺魚肉加薑片汆水，剪成小塊，洗淨。
3. 淮山和冬蟲夏草洗淨。
4. 把淮山、冬蟲夏草、乾鱺魚肉和豬瘦肉放燉盅內，加適量的滾水並蓋好，隔水燉 3 小時，下鹽調味。

食用　佐餐食用。

【功效】滋陰養肺．固腎益氣

冬蟲夏草

53

淮山玉竹燉黃鱔

【功效】 益氣養陰‧明目降糖

用途 適用於糖尿病而出現口乾口渴，眼矇眼澀，糖尿病初期血糖時高時低者。

材料 黃鱔 320 克，生切淮山、玉竹各 40 克，葱茸少許，酒、鹽各適量。

做法
1. 黃鱔劏洗淨，去骨，去潺，洗淨，切小段。
2. 淮山、玉竹洗淨。
3. 將以上材料放入燉盅，加酒、葱茸及適量滾水，加蓋，隔水燉 2 小時，下鹽調味。

食用 佐餐食用。

玉竹

參芪淮山泥鰍魚湯

【功效】 健脾益氣‧養心安神

用途 適用於神經衰弱。

材料 泥鰍魚 250 克，淮山、黨參、黃芪各 30 克，紅棗 5 顆，薑片、鹽各適量。

做法
1. 泥鰍魚放鹽水中浸 1 天，用鹽擦去黏液，除去內臟，洗淨，汆水。
2. 薑片放熱油中爆香，放入泥鰍魚煎至兩面金黃色。
3. 淮山、黨參、黃芪、紅棗洗淨，紅棗去核。
4. 黨參、黃芪、紅棗、泥鰍魚放煲內，加適量水，大火煮滾，改小火煮 1½ 小時，加淮山再煮 30 分鐘，下鹽調味。

食用 佐餐食用。

黃芪

淮山豆腐泥鰍魚湯

用途 適用於消化不良，貧血。

材料 泥鰍魚 500 克，豆腐 250 克，生切淮山 80 克，紅棗 10 顆，薑片、鹽各適量。

做法
1. 泥鰍魚放鹽水中浸 2 小時，用鹽擦去黏液，除去內臟，洗淨，汆水。
2. 豆腐切成小塊；薑片洗淨。
3. 泥鰍魚放熱油中煎至微黃色，加薑片和 3 碗水，用小火煮 10 分鐘。
4. 淮山、豆腐和紅棗放煲內，加適量水，再加泥鰍魚、魚湯和薑片，煮 30 分鐘，下鹽調味。

食用 佐餐食用。

豆腐

【功效】健脾和胃‧益氣養血

茯苓淮山墨魚湯

用途 適用於脾虛濕重引致的腹脹隱痛，白帶過多，胃口欠佳。

材料 鮮墨魚 200 克，豬瘦肉 100 克，生切淮山、茯苓各 30 克，蓮子 25 克，蜜棗 3 顆，鹽適量。

做法
1. 蓮子去芯，淮山、茯苓、蓮子洗淨，放水中浸泡。
2. 剖開鮮墨魚，墨魚骨，小心地除掉墨囊，洗淨，汆水。
3. 豬瘦肉洗淨，切塊，汆水。
4. 在煲內加適量水，加入以上材料，大火煮滾，改小火煮 2 小時，下鹽調味。

食用 佐餐食用。

【功效】健脾利濕‧收澀止帶

古醫學家對淮山的評價
淮山是保健食品，在中國已有二千多年歷史，東漢時期的《神農本草經》記載：「山藥，久服耳目聰明。」金代的《藥性論》記載淮山能「補五勞七傷，祛濕氣；止腰痛，鎮心氣不足，患人體虛弱而用之」。《日華子本草》指淮山「助五臟，強筋骨，長志安神；主健精」。李時珍的《本草綱目》記載：「山藥性味平、甘、無毒，有益腎氣、強筋骨、健脾胃、止泄痢、化痰涎、潤皮毛、治泄精健忘等功效。」

黑木耳淮山海螺湯

【功效】 補血益氣

用途 適用於氣虛體弱、血氣不足,產後貧血。

材料 海螺肉 50 克,黑木耳 30 克,生切淮山 15 克,雞湯 600 毫升,薑、葱、蒜、鹽各適量。

做法
1. 黑木耳放水中浸泡,洗淨。
2. 海螺肉洗淨,切片,汆水。
3. 葱洗淨,切段;蒜去皮,切兩半;與薑同放熱油中爆香。
4. 淮山、黑木耳放鍋內,加雞湯,再加入薑、蒜和葱,大火煮滾,改小火煮 30 分鐘,下鹽調味。

食用 每天 1 次,佐餐食用。

黑木耳

蓮子淮山章魚瘦肉湯

【功效】 健脾益胃・益精補血

用途 適用於不育症。

材料 豬瘦肉 450 克,章魚 60 克,生切淮山、蓮子各 30 克,蜜棗 5 顆,薑、鹽各適量。

做法
1. 豬瘦肉洗淨,切塊,汆水。
2. 章魚洗淨,放水中浸泡,撕去硬膜。
3. 淮山、蓮子洗淨,蓮子去芯。
4. 將以上材料放煲內,加適量水,大火煮滾,改小火煮 2½ 小時,下鹽調味。

食用 佐餐食用。

蓮子

淮山茯苓魚肚湯

用途　適用於脾胃虛弱，胃口欠佳。

材料　豬瘦肉 350 克，水發魚肚 150 克（乾魚肚 15 克），生切淮山 30 克，茯苓 20 克，薑 2 片，葱 2 條，鹽適量。

做法
1. 水發魚肚、豬瘦肉洗淨，汆水（如用乾魚肚，先放水中浸泡，洗淨，加薑、葱汆水）。
2. 淮山、茯苓洗淨。
3. 將以上材料放煲內，加適量水煮滾，改小火煮 3 小時，下鹽調味。

食用　佐餐食用。

【功效】 健脾益氣‧利濕和中

茯苓

淮山赤小豆羹

用途　適用於經行泄瀉。

材料　鮮淮山、赤小豆各 50 克，白糖適量。

做法
1. 鮮淮山去皮，洗淨，切小粒。
2. 赤小豆洗淨，放鍋內，加適量水。
3. 用大火煮滾後，加淮山，改用小火煮至淮山和赤小豆爛熟，加白糖調和。

食用　當點心食用。每天早、晚各食用 1 次。

【功效】 補脾清熱‧利濕止瀉

赤小豆

淮山花生薏苡仁羹

【功效】 補益脾腎‧祛濕消腫

用途 適用於慢性腎炎水腫。

材料 花生仁 50 克，生切淮山、薏苡仁、蓮子各 30 克，冰糖適量。

做法
1. 淮山、花生仁、薏苡仁、蓮子洗淨，放鍋內。
2. 在鍋內加適量水，大火煮滾，改小火煮至成為羹，加冰糖，再煮至冰糖溶化。

食用 每天 1 次，連食 7 天。

薏苡仁

淮山二仁羹

【功效】 健脾養心

用途 適用於神經衰弱、失眠。

材料 鮮淮山 100 克，薏苡仁 30 克，酸棗仁 15 克，白糖 10 克。

做法
1. 薏苡仁除去雜質，洗淨，曬乾，研成粉末。
2. 酸棗仁除去雜質，洗淨，搗碎，研成粉末，與薏苡仁粉末混合。
3. 淮山去皮，洗淨，切小粒，搗成糊狀，放鍋內，加適量水，用大火煮滾。
4. 邊加入粉末邊攪拌，拌勻後改用小火煮，加白糖拌煮成羹。

食用 當點心食用，份量隨意。

酸棗仁

淮山蓮子冬菇湯

用途 適用於脾胃虛弱、血氣不足的慢性腹瀉。

材料 生切淮山、蓮子、冬菇各 50 克，鹽、麻油各適量。

做法
1. 淮山洗淨；蓮子去芯，洗淨。
2. 冬菇放水中浸泡，洗淨，去蒂。
3. 淮山、蓮子和冬菇放鍋內，加適量水，煮滾後改用小火煮 15 分鐘，下鹽調味，淋上麻油。

食用 適量食用，宜經常食用。

冬菇

【功效】健脾養胃·調和五臟

黑棗淮山桂圓雞蛋湯

用途 適用於貧血引致的面色不佳、胃口欠佳。

材料 生切淮山 25 克，桂圓肉 10 克，白米 10 克，黑棗 10 顆，雞蛋 1 隻，鹽適量。

做法
1. 淮山、黑棗、桂圓肉、白米、雞蛋洗淨。
2. 一起放鍋內，加適量水，煮至雞蛋熟透。
3. 取出雞蛋剝殼，放回鍋內再煮 1 小時，下鹽調味。

食用 佐餐食用。

黑棗

【功效】健脾補血

淮山紅棗瘦肉粥

【功效】 健脾補腎‧澀精利尿

用途 適用於脾腎兩虛之前列腺增生。

材料 豬瘦肉、粳米各 200 克,生切淮山、芡實各 50 克,杞子 25 克,花生仁 20 克,紅棗 20 顆,薑、葱、鹽各適量。

做法
1. 淮山、豬瘦肉、葱分別洗淨,切小粒。
2. 芡實、花生仁、紅棗、杞子洗淨;粳米洗淨。
3. 粳米放鍋內,加適量水煮滾,加淮山、芡實、花生仁、杞子、紅棗和豬瘦肉,煮 30 分鐘,下鹽調味,撒上葱粒。

食用 早、晚分食。

淮山黑木耳瘦肉粥

用途 適用於氣血運行不暢之面色暗滯無光，或面乾多皺多斑者。

材料 豬瘦肉、粳米各 150 克，黑木耳 30 克，生切淮山、薏苡仁、乾冬菇各 10 克，鹽適量。

做法
1. 冬菇、黑木耳分別浸軟，洗淨，去蒂，切絲。
2. 淮山洗淨；薏米浸泡 10 分鐘；粳米洗淨。
3. 豬瘦肉洗淨，切小粒，汆水。
4. 將以上材料一齊放入鍋內，加水適量，大火煮滾，改小火煮 30 分鐘，下鹽調味。

食用 每天 1 次。

黑木耳

【功效】活血潤燥·養顏除斑

淮山薏苡仁豬腰粥

用途 適用於面部色斑。

材料 豬腰 1 對，粳米 200 克，生切淮山 80 克，薏苡仁 50 克，鹽適量。

做法
1. 豬腰除去筋膜和臊腺，洗淨，切大塊，汆水。
2. 淮山、薏苡仁洗淨；粳米洗淨。
3. 將以上材料放鍋內，加適量水，大火煮滾，改小火煮成稀粥，下鹽調味。

食用 每天 1 次。

【功效】益腎補虛

淮山牛肉粥

【功效】 強健筋骨‧滋補養血

用途 適用於手術後補血和修復組織。

材料 鮮淮山、牛肉各 100 克,粳米 80 克,薑絲、芫荽碎、鹽各適量。

做法
1. 牛肉洗淨,切片;淮山去皮,洗淨,切小粒;粳米洗淨。
2. 粳米放鍋內,加適量水,用大火煮滾。
3. 加入淮山,改小火煮成稀粥,加牛肉煮至牛肉熟透,加薑絲、芫荽碎,下鹽調味。

食用 早、晚分食。

淮山羊肉粥

【功效】 健脾益胃‧補氣養血

用途 適用於脾胃虛弱的慢性腹瀉。

材料 生切淮山 80 克,羊肉 300 克,粳米 150 克,薑茸、鹽各適量。

做法
1. 羊肉洗淨,切片,放熱水中煮熟,搗碎,湯汁留起。
2. 淮山洗淨,搗成碎;粳米洗淨。
3. 淮山、羊肉連同湯汁、粳米放鍋內,加適量水煮成稀粥,加薑茸,下鹽調味。

食用 早、晚分食。

注意事項:實邪、熱毒、外感熱病者不宜食用。

鯽魚淮山粥

用途 適用於乳腺癌。

材料 鯽魚 1 條,粳米 100 克,鮮淮山 50 克,鹽適量。

做法
1. 鯽魚去鱗、鰓和內臟,洗淨。
2. 淮山去皮,洗淨,研成粉末;粳米洗淨。
3. 鯽魚和粳米放鍋內,加適量水煮滾,小火煮至快成稀粥時加淮山和鹽,略煮即成。

食用 分早、晚 2 次食用,宜連續食用 5-10 天。

【功效】 健脾利濕‧益氣養陰

蓮子淮山鵪鶉糊

用途 適用於心神不寧,脾腎兩虛之高血壓。

材料 鵪鶉 2 隻,生切淮山、雞蛋白各 40 克,蓮子 30 克,熟瘦火腿肉 25 克,上湯 1000 毫升,薑片、黃酒、葱段、胡椒粉、白糖、鹽各適量,生粉 ½ 湯匙。

做法
1. 鵪鶉去內臟,洗淨,加上湯、葱段、薑片、黃酒,隔水蒸至熟,取肉,切小粒,湯汁濾渣留起。
2. 蓮子洗淨,去芯;熟火腿肉切碎末;雞蛋白打至起泡。
3. 淮山洗淨,隔水蒸熟,壓成泥茸,用少量上湯調開。
4. 鵪鶉、淮山泥、蓮子、熟火腿肉放熱油中,攢黃酒,略炒,加入蒸鵪鶉的湯汁、白糖,煮滾,用生粉勾稀芡,加雞蛋白拌勻,撒上胡椒粉。

食用 早、晚餐食用。

【功效】 養心降壓‧健脾益腎

花生仁淮山粟米粥

【功效】補益肺脾・養血補血

用途 適用於貧血，慢性氣管炎，支氣管哮喘。

材料 粟米 100 克，花生仁 50 克，生切淮山 30 克，粳米適量，紅糖 20 克。

做法
1. 花生仁洗淨。
2. 粟米和淮山洗淨，淮山切粒。
3. 將以上材料（除糖外）放鍋內，加適量水，用大火煮滾，改用小火煮 1 小時，至花生仁和粟米熟爛，加紅糖拌至溶化。

食用 每天早、晚分食。

花生

扁豆淮山粥

【功效】理氣和胃

用途 適用於濕阻脾胃型急性無黃疸型肝炎。

材料 粳米 150 克，生切淮山、扁豆各 60 克，陳皮 1 角。

做法
1. 淮山、陳皮洗淨，淮山切小粒；陳皮浸軟，去內瓤。
2. 扁豆洗淨，放鑊中炒至三成熟。
3. 所有材料放鍋內，加適量水，煮至稀粥即成。

食用 早、晚分食。

扁豆

桂圓紅棗淮山粥

用途 適用於中風後痴呆和肢癱。

材料 粳米 100 克，生切淮山 15 克，丹皮、山楂各 10 克，桂圓、紅棗各 5 顆。

做法
1. 淮山、丹皮、桂圓、山楂、紅棗洗淨，紅棗去核。
2. 粳米洗淨，和淮山、丹皮、桂圓、紅棗一起放鍋內，加適量水，大火煮滾，改小火煮成稀粥即成。

食用 當早餐或晚餐食用。

山楂

【功效】補益心脾・益氣養血

栗子荔枝淮山粥

用途 適用於脾胃虛弱的慢性腹瀉。

材料 栗子肉 50 克，生切淮山 30 克，蓮子 10 克，荔枝乾果 5 個，紅棗 10 顆，粳米適量。

做法
1. 栗子肉洗淨，切小塊；淮山、蓮子、荔枝乾果、紅棗洗淨；粳米洗淨。
2. 所有材料放鍋內，加適量水，大火煮滾，改小火煮成稀粥即成。

食用 佐餐食用。

【功效】調和腸胃・補虛止瀉

淮山片的厚薄

淮山含豐富的澱粉質，切製過薄，炒製時會易碎，煎煮時會易糊化，煎液時會難過濾，令藥汁濃度高，從而影響其他藥材有效成分的煎出，影響療效。切製過厚，也會影響淮山有效成分的煎出。實驗顯示，切成 1 毫米厚的淮山片，在 80℃ 時開始糊化，100℃ 時焦化和黏住器具；切成 3 毫米的淮山片在 100℃ 煎煮 10 分鐘，仍然透心沒有糊化，藥濃度仍正常。因此，淮山片的厚度一般以 3-4 毫米為宜。

海帶淮山粥

用途　適用於脂肪肝。

材料　水發海帶 100 克，淮山 60 克，粳米 50 克。

做法
1. 淮山洗淨，切成碎末。
2. 海帶洗淨，放鍋內加水，用小火煮至熟爛，撈出後切成碎末。
3. 粳米洗淨，放鍋內，加適量水，大火煮滾，改小火煮至米熟透，加淮山和海帶，稍煮即成。

食用　當早、晚餐食用。

【功效】降壓消脂

海帶

淮山紅棗粥

用途　適用於貧血、慢性腸炎、高血壓。

材料　鮮淮山 150 克，粳米 100 克，紅棗 15 顆。

做法
1. 淮山去皮，洗淨，切碎後搗成糊狀。
2. 紅棗洗淨，放溫水中浸泡後去核。
3. 粳米洗淨，和紅棗一起放鍋內，加適量水，煮成稀粥。
4. 加淮山糊，拌勻，再煮 10 分鐘即成。

食用　每天早、晚分食。

【功效】健脾益氣・潤脈降壓

紅棗

淮山紅綠豆粥

【功效】益氣養血

用途 適用於氣血虛弱的長者。

材料 鮮淮山 250 克,有機米 150 克,蓮子、薏苡仁各 100 克,紅豆、綠豆、桂圓肉各 50 克,紅棗 10 顆,冰糖適量。

做法
1. 蓮子、薏苡仁、紅豆、綠豆、有機米分別放水中浸泡 1 小時,煮至熟軟。
2. 紅棗去核,和桂圓肉一起洗淨;淮山去皮,洗淨,切小粒。
3. 所有材料放鍋內,加適量水,大火煮滾,改小火煮至紅豆和綠豆呈開花狀,加冰糖待溶,即成。

食用 當點心食用。

淮山柿餅粥

【功效】健脾潤燥‧化痰止咳

用途 適用於慢性支氣管炎。

材料 鮮淮山、薏苡仁各 60 克,柿餅 1 塊。

做法
1. 淮山、薏苡仁洗淨,搗碎。柿餅切碎。
2. 淮山、薏苡仁放鍋內,加適量水,煮至熟爛,加入柿餅碎,煮至稀粥即成。

食用 早、晚分食。

注意事項:脾胃虛寒、痰濕內盛者不宜食用。

柿餅

淮山栗子蛋黃粥

【功效】健胃固腸止瀉

用途　適用於慢性腹瀉，營養不良。

材料　生切淮山、栗子肉各 50 克，熟雞蛋黃 1 隻，小米適量。

做法　1.熟雞蛋黃搗碎。
　　　　2.淮山、栗子肉、小米洗淨，放鍋內，加適量水，煮成粥。
　　　　3.粥快熟時，加入熟雞蛋黃碎，拌勻即成。

食用　每天 1 次，空腹食用。

淮山雪梨糯米粥

用途 適用於虛勞咳嗽，脾虛腹瀉。

材料 生切淮山、雪梨各 50 克，糯米 30 克，杞子、冰糖各適量。

做法
1. 淮山、糯米洗淨，浸泡 2 小時。
2. 雪梨洗淨，去皮，去芯，切小塊。
3. 淮山、糯米、雪梨放鍋內，加適量水，煮成稀粥，加杞子和冰糖，冰糖溶化即成。

食用 早、晚分食。

雪梨

【功效】 健脾養胃‧潤肺止咳

淮山粥

用途 適用於多種癌症手術後脾肺腎虛弱引致的氣短乏力、飲食不調。

材料 鮮淮山、粳米各 100 克。

做法
1. 淮山去皮，洗淨，切片。
2. 粳米洗淨。
3. 淮山和粳米放鍋內，加適量的水，大火煮滾，改用小火煮成稀粥即成。

食用 早、晚分食。

【功效】 健脾補胃‧益肺固腎

淮山蔗漿粥

【功效】 健脾養胃‧潤燥止咳

用途 適用於慢性支氣管炎。

材料 甘蔗 500 克，粳米 150 克，生切淮山 20 克。

做法
1. 淮山洗淨，研成粉末；粳米洗淨。
2. 甘蔗去皮，洗淨，榨取蔗漿汁。
3. 粳米放鍋內，加蔗漿汁和適量水，大火煮滾，改小火煮成粥，加淮山粉末，再煮 5 分鐘即成。

食用 每天 2 次，當早、晚餐食用。

甘蔗

淮山蓮子粥

【功效】 補肺止咳‧益氣養陰

用途 適用於氣陰不足之久咳痰喘。

材料 鮮淮山 60 克，小米 50 克，蓮子 30 克，冰糖適量。

做法
1. 淮山去皮，洗淨，刨絲。
2. 蓮子放水中浸泡，去芯，洗淨；小米洗淨。
3. 淮山和小米放鍋內，加適量水，煮 ½ 小時，加蓮子和冰糖，煮成粥。

食用 早、晚分食。

蓮子

淮山薏苡仁芡實粥

【功效】健脾開胃‧寧神養心‧固表止汗

用途 適用於消化不良之胃口欠佳，睡眠欠佳，自汗盜汗。

材料 薏苡仁、糯米各 30 克，生切淮山、芡實各 15 克，熟雞蛋黃 1 隻。

做法
1. 淮山、薏苡仁、芡實洗淨，研成粉末。
2. 糯米洗淨；熟雞蛋黃搗碎。
3. 材料放鍋內，加適量水，大火煮滾，改小火煮成稀粥，加雞蛋黃，稍煮即成。

食用 早、晚分食。

注意事項：實邪、熱毒、外感熱病者不宜食用。

糯米

淮山黑木耳甜粥

【功效】健脾胃‧補氣血‧益肝腎‧調五臟

用途 適用於五臟失調之面色蒼白，食慾不振，心悸倦怠，頭暈目眩。

材料 大米 100 克，生切淮山 50 克，黑木耳 25 克，白糖適量。

做法
1. 淮山洗淨，切小粒。
2. 黑木耳放水中浸泡，洗淨，去蒂，切碎。
3. 大米洗淨，放鍋內，加適量水，大火煮滾，改小火煮至八成熟，加淮山和黑木耳，煮成稀粥加白糖，白糖溶化即成。

食用 當早餐食用。

淮山的加工炮製

加工炮製淮山時，先除去淮山的灰塵、雜質和非藥用的部分，然後洗乾淨。接着，按淮山的大小分類，浸泡在水中 3-4 天，撈出後切厚片曬乾。由於淮山根莖較粗，所含澱粉質又較多，潤濕需要幾天時間，期間容易發酸、發紅、起涎，因而影響質量，所以採用「醶潤法」會較佳。「醶潤法」是把淮山按大小分類後，分別浸製 6-12 小時，直至水分浸至淮山內部三分一，撈出後放置片刻，然後放進醶櫃內密封，點燃硫磺醶潤 24 小時，淮山乾濕適度、潤透至心，便可切片曬乾。

黑木耳淮山蘿蔔粥

用途 適用於肝癌。

材料 鮮淮山 100 克，紅蘿蔔 150 克，花生仁、大米、小米各 30 克，黑木耳、乾冬菇各 20 克，黃酒、麻油、鹽各適量。

做法
1. 淮山去皮，洗淨，切圓片；紅蘿蔔洗淨，切小粒。
2. 黑木耳、乾冬菇洗淨，浸泡，洗淨，去蒂，切小塊，浸泡的水留用。
3. 大米、小米洗淨，放鍋內，加入浸泡黑木耳和乾冬菇的水，再加淮山和花生仁，加適量水，用小火煮成粥。
4. 粥快熟時，加黑木耳、乾冬菇和紅蘿蔔，煮至材料熟爛，潛黃酒，淋麻油，下鹽調味。

食用 當早餐或晚餐食用。

【功效】 健脾胃・益肝腎・抗腫瘤

紅蘿蔔

冬瓜淮山薏苡仁粥

用途 適用於兒童支氣管炎咳嗽。

材料 生切淮山 40 克，冬瓜、粳米各 100 克，薏苡仁 50 克。

做法
1. 淮山、薏苡仁、冬瓜洗淨，淮山和冬瓜切成小粒。
2. 粳米洗淨。
3. 所有材料放鍋內，加適量水，煮至稀粥。

食用 早、晚各 1 次分食。

【功效】 清肺化痰止咳

冬瓜

淮山芡實韭菜粥

用途　適用於脾腎陽氣虛弱的不育症。

材料　粳米 100 克，生切淮山、芡實、韭菜各 30 克。

做法　1. 韭菜洗淨，切碎；芡實去殼，搗碎；淮山洗淨，搗碎。
2. 粳米洗淨。
3. 所有材料放鍋內，加適量水，用小火煮成粥。

食用　佐餐食用。

注意事項：陰虛火旺者不宜食用。夏季時不宜食用。

【功效】　壯陽補虛

韭菜

絲瓜淮山粥

用途　適用於結腸癌、直腸癌。

材料　絲瓜 500 克，鮮淮山、粳米各 200 克，鹽適量。

做法　1. 淮山、絲瓜去皮，洗淨，切成小塊。
2. 粳米洗淨，和淮山一起放鍋內，加適量水煮滾，再加絲瓜煮成粥，下鹽調味。

食用　每天 1 次，連續食用 5-7 天。

【功效】　健脾止瀉

絲瓜

青蒜炒淮山

用途 適用於慢性支氣管炎，支氣管哮喘，肺氣腫。

材料 鮮淮山 300 克，青蒜 100 克，上湯、黃酒、薑、葱、鹽各適量。

做法
1. 淮山去皮，洗淨，順長剖開成兩半，斜切成厚片。
2. 青蒜洗淨，切段；薑洗淨，切茸；葱洗淨，切小粒。
3. 燒熱油鍋，加薑茸和葱花爆香，再加淮山和青蒜略炒，加黃酒、上湯和鹽，翻炒至熟。

食用 佐餐食用。

【功效】補腎健肺・化痰袪濕

松子淮山腐皮卷

用途 適用於結膜炎。

材料 鮮淮山 150 克,松子仁 80 克,腐皮 3 張,薑汁、鹽、白糖、麻油各適量。

做法
1. 鮮淮山洗淨,蒸熟後壓成泥。
2. 燒熱油鍋,加淮山泥、鹽、薑汁,稍炒後加松子仁、麻油,炒勻。
3. 腐皮洗淨,順長切成兩半,隔水稍蒸,取出鋪平,加松子、淮山泥,捲成卷。
4. 燒熱油鍋,放上腐皮卷煎至全熟,切片,上碟。

食用 佐餐食用。

松子仁

【功效】補益肝腎・滋陰潤膚

梅子涼拌淮山

用途 適用於脾胃虛弱之胃口欠佳,口乾咽燥,氣短無力者。

材料 鮮淮山 250 克,酸梅晶 20 克,西梅、話梅各 10 克,白糖、鹽各適量。

做法
1. 淮山去皮,洗淨,切長條,氽水煮至熟,過冷河,放在碟上。
2. 酸梅晶用水稀釋上火熬,放入西梅、話梅、白糖、少許鹽,汁見稠為止。
3. 汁涼後,待上桌時澆在淮山上即可。

食用 佐餐食用。

西梅

【功效】健脾益氣・和胃消食

淮山炒四季豆

【功效】 健脾養胃・防癌抗癌

用途 適用於胃癌。

材料 鮮淮山、四季豆各 250 克，馬蹄 150 克，蒜茸、白糖、麻油、生粉、鹽各適量。

做法
1. 淮山洗淨，切片；四季豆摘去兩頭去筋，洗淨。
2. 燒熱油鍋，放進淮山稍炒，加適量水，煮至熟透，放碟子上。
3. 再燒熱油鍋，放進四季豆、馬蹄，炒至四季豆轉深綠色，加少量水、蒜茸、白糖、鹽，燜煮 1 分鐘，用生粉水勾芡，盛在淮山上拌勻，淋上麻油。

食用 可經常食用。

四季豆

淮山杞子苦瓜煲

【功效】 益肺補腎・止消渴・降血糖

用途 適用於糖尿病。

材料 苦瓜 150 克，豬瘦肉 50 克，生切淮山、杞子各 20 克，薑茸、葱粒、黃酒、上湯、鹽各適量。

做法
1. 淮山、杞子洗淨，淮山切片；苦瓜去瓤和籽，洗淨，切小塊。
2. 豬瘦肉洗淨，切片。
3. 燒熱油鍋，放進豬瘦肉略炒，加薑茸和葱粒翻炒。
4. 豬瘦肉炒至變色後，加苦瓜、淮山、杞子和適量上湯，大火煮滾，灒黃酒，改小火煮 30 分鐘，下鹽調味。

食用 佐餐食用。

苦瓜

淮山栗子炒瘦肉

用途 適用於氣虛體弱的貧血、營養不良、氣短乏力。

材料 西芹300克,豬瘦肉150克,栗子100克,生切淮山20克,雞蛋1隻,生粉、白糖、鹽各適量。

做法
1. 淮山洗淨,研成粉末。
2. 西芹洗淨,切段;豬瘦肉洗淨,切片;栗子去皮,切開,放熱水中煮熟。
3. 豬瘦肉放碗內,打入雞蛋,加淮山粉末、生粉、白糖、鹽,拌勻(如豬瘦肉太乾,可加適量開水調勻)。
4. 燒熱油鍋,放進豬瘦肉,炒至豬瘦肉變色,加栗子、西芹,炒熟即成。

食用 每天1次,佐餐食用。

歸參淮山燉豬腰

用途 適用於氣血虛弱,脾腎不足虘引致的心悸、氣短、失眠。

材料 豬腰500克,生切淮山、當歸、黨參各10克,薑絲、蒜茸、醋、生抽、麻油各適量。

做法
1. 豬腰切開,除去筋膜和臊腺,洗淨,氽水。
2. 淮山、當歸、黨參洗淨,放紗袋中。
3. 把盛載淮山、當歸、黨參的紗袋、豬腰放鍋內,加適量水,燉至豬腰熟透,撈出豬腰冷卻後,切成薄片,放碟子上。
4. 在豬腰上放上薑絲、蒜茸,再加生抽、醋、麻油,拌勻,即成。

食用 佐餐食用。

當歸

淮山杞棗燉牛肉

【功效】 健脾益氣

用途 適用於消化不良，直腸脫垂。

材料 生切淮山 60 克，牛肉 100 克，杞子 15 克，紅棗 5 顆，薑絲、蒜茸、葱粒、生抽、鹽各適量。

做法
1. 牛肉洗淨，切成小塊，汆水。
2. 淮山、杞子、紅棗洗淨，紅棗去核。
3. 淮山、牛肉、杞子、紅棗放鍋內，加少量水，再加薑絲、鹽、生抽，大火煮滾，改小火燉至牛肉熟爛，加葱粒、蒜茸拌勻。

食用 佐餐食用。

淮山南瓜煮牛肉

【功效】 生津止渴‧補中益氣‧降血糖

用途 適用於糖尿病。

材料 南瓜 250 克，牛肉 100 克，生切淮山 25 克，天花粉 15 克，上湯 1000 毫升，薑茸、葱粒、黃酒、鹽各適量。

做法
1. 淮山、天花粉洗淨，曬乾後研成細末。
2. 南瓜、牛肉洗淨，切小塊。
3. 燒熱油鍋，放進牛肉略炒，加薑茸、葱粒炒香，潵黃酒，炒勻。
4. 加南瓜和上湯，大火煮滾，改小火煮 50 分鐘，加淮山細末和天花粉細末，拌勻稍煮，下鹽調味。

食用 佐餐食用。

南瓜

蟲草淮山蒸牛髓

用途 適用於遺精、腰腿疼痛、心神不寧等。

材料 牛骨髓 150 克，生切淮山 10 克，冬蟲夏草 5 克，薑片、葱段、胡椒、黃酒、鹽各適量。

做法
1. 淮山洗淨，曬乾，研成粉末。
2. 冬蟲夏草和牛骨髓洗淨。
3. 牛骨髓放湯碗內，加淮山粉末、蟲草、薑片、葱段、黃酒、胡椒、鹽，蓋好，隔水蒸 1 小時，即成。

食用 每天晚餐當菜佐食。

冬蟲夏草

【功效】補精益智‧壯腰安神

淮山炒羊肉

用途 適用於脾腎陽虛之經行泄瀉。

材料 鮮淮山、羊肉各 300 克，雞蛋白 1 隻，辣椒、薑、牛抽、黃酒、白糖、上湯、胡椒粉、麻油、鹽各適量。

做法
1. 淮山去皮，洗淨，切片；薑、辣椒洗淨，切片。
2. 羊肉洗淨切片，用鹽、雞蛋白醃，下熱油鍋，泡油。
3. 燒熱另一油鍋，放進薑片、辣椒片爆香，加胡椒粉、生抽、白糖、黃酒、鹽和少量上湯稍煮，再加淮山，燜煮 2 分鐘，加羊肉翻炒，淋上麻油即成。

食用 佐餐食用。

【功效】補脾益腎‧溫中暖下

79

淮山麻油雞

健脾胃‧活血脈

用途 適用於氣虛體弱。

材料 鮮淮山 500 克，雞 1 隻，薑片、麻油、黃酒各適量。

做法 1. 淮山去皮，洗淨，切小塊；薑片洗淨。
2. 雞除去內臟，洗淨，切小塊，汆水。
3. 燒熱油鍋，加麻油和薑片爆香，放進雞塊略炒，再加少量水和黃酒，煮至雞快熟時，加淮山，用小火煮 10 分鐘即成。

食用 佐餐食用。

淮山蒸烏雞

用途 適用於沖任失調型乳腺增生。

材料 烏雞 1 隻，生切淮山 40 克，水發冬菇、筍片、火腿片各 25 克，核桃 10 顆，上湯 1000 毫升，黃酒、鹽各適量。

做法
1. 烏雞除去內臟，洗淨，剖開背脊，斬去頭頸骨，汆水。
2. 各材料洗淨。
3. 把烏雞腹向下放湯碗內，加淮山、核桃、上湯、黃酒和鹽，再把冬菇、筍片、火腿片放雞面上，隔水蒸 2 小時，至雞熟即成。

食用 佐餐食用。

淮山

淮山蟲草燉烏雞

用途 適用於肺結核潮熱不退，身體瘦弱。

材料 烏雞 1 隻，生切淮山 50 克，冬蟲草 9 克。

做法
1. 烏雞除去內臟，洗淨，切成小塊，汆水。
2. 淮山、冬蟲草洗淨。
3. 所有材料放大碗內，隔水燉熟即成。

食用 佐餐食用。

烏雞

淮山白菜蒸鴨

【功效】補益肝腎

用途 適用於早期老年性白內障。

材料 烤鴨 1 隻，白菜 500 克，生切淮山 80 克，上湯 750 毫升，薑片、葱段、黃酒、八角、鹽各適量。

做法
1. 淮山洗淨，切塊；白菜洗淨，切塊。
2. 烤鴨切塊，鴨胸向下放大湯碗中。
3. 白菜、淮山放滾水中稍燙，放烤鴨塊上，加薑片、葱段、八角、黃酒、鹽和少量上湯，用大火蒸熟，隔去湯汁，備用。
4. 燒熱油鍋，加蒸鴨的湯汁、上湯、鹽、黃酒，煮滾後澆在鴨上即成。

食用 佐餐食用。

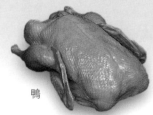

鴨

淮山地黃蒸鴨

【功效】滋腎陰・益精血

用途 適用於腎陰虛虧之腰腿疼痛，精液稀少。

材料 鴨 1 隻，生切淮山 80 克，蓮子、生地黃各 100 克，杞子 30 克，薑絲、葱絲、上湯、黃酒、胡椒粉、鹽各適量。

做法
1. 鴨去內臟，洗淨，去骨，切小塊，用黃酒、胡椒粉、鹽、薑絲、葱絲醃 1 小時。
2. 淮山洗淨，切小粒；生地黃、蓮子、杞子洗淨。
3. 生地黃放紗袋內，墊在湯碗底，鴨肉、淮山、蓮子、杞子拌勻，放紗袋上，加上湯，隔水蒸 2 小時。
4. 煮熟後，倒放在另一湯碗上，取走紗袋即成。

食用 佐餐食用。

> **上湯**
> 就是把雞、鴨、豬肉、瑤柱等含蛋白質豐富的具有鮮味的原料放入鍋中，長時間煮滾，提取上湯。為了方便起見，可用市面上出售的上湯替代。

用途 適用於五臟虛損,咳嗽痰喘吐血。

材料 生切淮山 80 克,發好燕窩 10 克,鵪鶉 1 隻,火腿茸 10 克,雞蛋白 2 隻,上湯、胡椒粉、黃酒、鹽各適量。

做法
1. 淮山洗淨。
2. 鵪鶉去內臟,洗淨,隔水蒸熟,取出起骨,把鵪鶉肉剁碎,將肉碎放入燉盅,加上湯、黃酒、鹽,隔水蒸 10 分鐘,取出。
3. 燕窩放水內稍煮撈出,再放熱油鍋中,加黃酒、上湯、鹽,小火稍煮,撈出。
4. 燒熱油鍋,加黃酒、胡椒粉、上湯、鹽,再放入燕窩、淮山、肉碎連湯汁,煮滾後加蛋白推勻,倒進大碗,撒上火腿茸。

食用 佐餐食用。

注意事項:肺胃虛寒、濕痰停滯者慎食用。

【功效】滋陰潤肺・大補元氣

用途 適用於糖尿病、脂肪肝、高血脂。

材料 鯪魚肉 100 克,鮮枸杞葉、嫩蘆筍各 30 克,牛切淮山 20 克,芫荽 10 克,雞蛋白 1 隻,薑絲、葱絲、醋、麻油、鹽各適量。

做法
1. 枸杞葉洗淨,切段;蘆筍洗淨,切細絲,分別汆水。
2. 芫荽洗淨,切段;淮山洗淨,研成粉末。
3. 鯪魚肉加雞蛋白和淮山末,拌成魚滑,油煎至兩面金黃色的魚餅,取出切絲。
4. 把魚絲放回油鍋內,加薑絲、葱絲和鹽炒香,再加醋、麻油、枸杞葉、蘆筍、芫荽翻炒,炒熟即成。

食用 佐餐食用。

【功效】降脂降糖降壓

淮山燒鯽魚

【功效】 調理沖任・通絡散結

用途 適用於沖任失調型乳腺增生。

材料 鯽魚 2 條，生切淮山 30 克，上湯、薑、葱、黃酒、麻油、醋、生抽、白糖、鹽各適量。

做法
1. 淮山洗淨；薑洗淨，切片；葱洗淨，切段。
2. 鯽魚去鱗、去內臟，洗淨，把淮山放入魚腹，將魚放熱油中炸至金黃，撈出瀝油。
3. 燒熱油鍋，爆香薑片、葱段，再加生抽、醋、上湯煮滾，撈出薑片和葱段。加黃酒、白糖和鹽，放下鯽魚，煮滾後改小火煮 10 分鐘，淋上麻油。

食用 佐餐食用。

淮山炒蝦仁

【功效】 健脾止瀉

用途 適用於腹瀉。

材料 鮮淮山 500 克，蝦仁 250 克，荷蘭豆 60 克，紅蘿蔔 ½ 條，胡椒粉、白糖、麻油、鹽各適量。

做法
1. 淮山、紅蘿蔔去皮，放鹽水浸泡，洗淨，切長條，汆水，取出沖冷水。
2. 荷蘭豆撕去兩邊夾筋，洗淨。
3. 蝦仁洗淨，用麻油、黃酒、胡椒粉醃 20 分鐘，泡油。
4. 燒熱油鍋，加淮山、紅蘿蔔、蝦仁炒香，炒至蝦仁熟透，再加荷蘭豆翻炒，淋麻油。

食用 佐餐食用。

荷蘭豆

用途 適用於腸胃欠佳。

材料 鮮淮山 250 克，鮮海參 1 隻，鮮帶子 10 隻，四季豆 70 克，冬菇 50 克，紅蘿蔔 20 克，蔥段、蠔油、鹽、白糖、麻油各適量。

做法
1. 淮山去皮，洗淨，切片；紅蘿蔔洗淨，切片；四季豆摘去兩頭去筋，洗淨；冬菇洗淨，切成兩半。
2. 鮮帶子、鮮海參洗淨，瀝乾，海參切小塊。
3. 燒熱油鍋，加蔥段和冬菇爆香，再加紅蘿蔔略炒，加適量水。
4. 煮滾後，放進淮山、帶子、海參稍煮，加蠔油、白糖、鹽，煮滾後再加四季豆稍煮，煮熟後淋麻油。

食用 佐餐食用。

海參

【功效】健脾養胃

用途 適用於脾腎虛弱之形寒肢冷、遺精，耳聾。

材料 鮮淮山 250 克，糯米粉、豬瘦肉各 150 克，冬筍、蝦肉各 50 克，冬菇 15 克，雞蛋白 1 隻，薑絲、蔥絲、黃酒、麻油、生抽、白糖、鹽各適量。

做法
1. 豬瘦肉、冬菇、冬筍、蝦肉洗淨，切絲，放在熱油鍋內略炒，加黃酒、白糖、鹽和生抽翻炒，炒熟後取出，成為餡料備用。
2. 淮山去皮，洗淨，蒸成泥，加麻油和糯米粉搓成糰，分成兩半，擀成長片。
3. 把餡料放在淮山皮一邊的中央，捲一下，把兩邊摺起來，捲至封口，塗上雞蛋白黏好封口。
4. 燒熱油，放進淮山卷，炸至金黃色，撈出，斜切成片即成。

食用 佐餐食用。

【功效】健脾補腎

二豆淮山糕

用途 適用於高血壓，肥胖。

功效
滋陰補虛；利濕降壓

材料 綠豆粉、豌豆粉各 1000 克，生切淮山、核桃仁、棗泥、蜂蜜各 100 克，紅糖、白糖各 50 克，桂花 20 克。

做法
1. 淮山、核桃仁洗淨，曬乾，研成粉末。
2. 燒熱水，加紅糖、白糖，溶化後加桂花拌勻，慢慢邊調入綠豆粉、豌豆粉邊攪拌，再加淮山、核桃仁粉末、棗泥，拌勻，再加蜂蜜，攪拌至呈硬膏狀，倒進方盤內，隔水蒸 30 分鐘。
3. 置雪櫃，冷藏，即成。

食用 每天 2 次，每次 50 克。

八寶淮山糕

用途 適用於脾虛胃弱的貧血，自倦乏力，慢性消耗性疾病。

材料 鮮淮山 250 克，赤小豆 150 克，芡實 30 克，白扁豆、茯苓、黑芝麻各 20 克，桂圓肉 15 克，紅棗 15 顆，烏梅 5 顆。

做法
1. 赤小豆洗淨，煮熟後研成豆沙。
2. 芡實、白扁豆、茯苓洗淨，曬乾，研成細末，加少量開水調勻，蒸熟。
3. 紅棗、桂圓肉洗淨，煮熟，去外皮和核，研成泥。
4. 淮山去皮，洗淨，蒸熟，研成泥，加芡實、白扁豆、茯苓細末拌勻。
5. 在盤中依次鋪上淮山泥、豆沙、淮山泥、紅棗桂圓泥，鋪 6-7 層，面撒黑芝麻，隔水蒸熟，烏梅、紅糖熬成濃糖漿，澆在糕上。

食用 當點心食用。

【功效】 益氣養血 · 健脾潤燥

山楂淮山糕

用途 適用於慢性結腸炎、慢性腹瀉、營養不良型消瘦。

材料 山楂 300 克，生切淮山、赤小豆各 100 克，麵粉、白糖各 50 克。

做法
1. 淮山、山楂、赤小豆洗淨，研成粉末。
2. 將粉末與麵粉放入大碗，加水揉成麵糰，搓成粗細均勻的長條，分成 28 個生坯。
3. 燒熱油，把生坯逐一放進油鍋，炸至金黃色和浮起，撈出，撒上白糖即成。

食用 當點心食用。

【功效】 健脾止瀉 · 增進食慾

山楂

淮山花生苓朮糕

【功效】 溫養肺腎‧化痰消飲

用途 適用於肺腎兩虛的慢性支氣管炎。

材料 米粉 500 克，花生仁 100 克，生切淮山、茯苓、白朮、芡實、薏苡仁、扁豆、杏仁各 30 克，紅糖適量。

做法
1. 淮山、茯苓、白朮、芡實、薏苡仁、扁豆、杏仁、花生仁洗淨，曬乾，研成細末。
2. 細末炒香，加米粉、紅糖、少量開水揉成糰，搓成粗細均勻的長條，分為 15 個生坯。
3. 生坯逐一放進熱油鍋，炸至金黃色浮起，撈出即成。

食用 當點心食用。

杏仁

淮山棗豆糕

【功效】 健脾利濕

用途 適用於濕阻脾胃型急性無黃疸型肝炎。

材料 紅棗肉 500 克，鮮淮山 200 克，扁豆 50 克，陳皮 1 角。

做法
1. 淮山洗淨，切薄片；陳皮浸軟，去內瓤，洗淨，切絲；鮮扁豆、紅棗肉洗淨，切碎。
2. 淮山、鮮扁豆、紅棗肉搗成泥，再撒上陳皮絲。
3. 所有材料拌勻，分成小塊，隔水蒸熟即成。

食用 當早餐隨意食用。

陳皮

淮山鹹粿

用途 適用於脾胃虛弱、五臟虛損的腹瀉。

材料 鮮淮山 300 克，澄麵粉 200 克，免治豬肉 150 克，冬菇、蝦米各 30 克，胡椒粉、鹽各適量。

做法
1. 淮山去皮，洗淨，切細條；冬菇、蝦米洗淨，冬菇切絲。
2. 澄麵粉加 3 杯開水沖開，再加 5 杯開水拌勻成米漿。
3. 熱油鍋爆香冬菇、蝦米，加豬肉略炒，再加淮山、胡椒粉、鹽翻炒至熟透，倒入米漿拌勻，改小火煮成稀糊，隔水用大火蒸 1 小時。
4. 待涼後置雪櫃冷藏，食用時切片，煎香即成。

蝦米

食用 當點心食用。

【功效】健脾益胃・調和五臟

淮山薏苡仁柿餅

用途 適用於脾肺兩虛型慢性支氣管炎。

材料 鮮淮山、生薏苡仁各 60 克，柿餅 24 克。

做法
1. 淮山、薏苡仁洗淨，搗成粗渣。
2. 柿餅切碎。
3. 淮山、薏苡仁放鍋內，加適量水，煮至熟爛，加柿餅碎，煮至溶化。

食用 隨意食用。

【功效】健脾潤燥・化痰止咳

淮山的加工方法

要分為清炒、麩製、土製、米製、蜜麩製五種：清炒是把淮山炒至表面焦褐色，斷面焦黃色。麩製是用麥麩炒淮山，炒至黃色篩去麩皮曬涼。土製是把淮山炒至硬身，洗淨待涼後，蓋上灶心土或黃土細粉曬乾，再炒至呈微黃色。米製是用米和淮山拌炒至呈焦黃色。蜜麩製是用麥麩、生蜂蜜、白酒連同淮山炒至黃色。

淮山包子

【功效】 健脾益智 · 養心安神

用途 適用於胃口欠佳，記憶力下降，心神不寧者。

材料 鮮淮山 350 克，豬瘦肉 300 克，麵粉 250 克，蝦米 80 克，白糖、紅葱頭、胡椒粉各適量。

做法
1. 淮山去皮，洗淨，曬乾，研成粉末；豬瘦肉、蝦米、紅葱頭洗淨，豬瘦肉、紅葱頭切細絲。
2. 燒熱油鍋，爆香豬瘦肉絲、蝦米、紅葱頭絲，加白糖、胡椒粉翻炒至熟透，成為餡料。
3. 淮山粉末、麵粉加適量的水搓成麵糰，再搓成粗條，切成細段。
4. 把適量餡料包進麵粉細段內，做成小包，隔水用大火蒸 10 分鐘即成。

食用 當點心食用，可經常食用。

蝦米

淮山芝士火腿卷

【功效】 健脾益胃

用途 適用於胃口欠佳。

材料 鮮淮山 300 克，小青瓜 3 條，紅蘿蔔 1 條，芝士片、熟火腿片各 12 片，蛋黃醬適量。

做法
1. 淮山、小青瓜、紅蘿蔔洗淨，去皮，切細條，長度和熟火腿片一樣。
2. 先鋪平熟火腿片，上面放芝士片，再加適量淮山條、小青瓜條、紅蘿蔔條，淋上蛋黃醬，捲成卷，用牙籤固定，斜切成兩半即成。

食用 當早餐食用。

小青瓜

用途 適用於遺精。

材料 生切淮山 300 克,麵粉、白糖各 150 克,核桃仁 60 克,蜜瓜條、紅棗、山楂糕各 50 克,生粉 ½ 湯匙,瓜子仁 15 克,葡萄乾、桂花糖各 10 克,食用色素少許(隨意)。

做法
1. 淮山洗淨,蒸爛成泥;麵粉蒸熟。
2. 淮山泥加麵粉、山楂糕和適量開水,搓成麵糰。
3. 核桃仁、瓜子仁、蜜瓜條、葡萄乾剁碎,加白糖、桂花糖拌勻,加進淮山泥中拌勻,搓成桃型,在桃尖點上色素,用生粉勾芡,澆在桃子上。

食用 當點心食用。

核桃

【功效】健脾固腎‧強筋健體

用途 適用於氣虛型習慣性便秘。

材料 鮮淮山 250 克,白糖 100 克,黑芝麻 15 克。

做法
1. 淮山去皮,洗淨,切成菱形小塊。
2. 淮山塊放進熱油鍋,炸至浮起,撈出。
3. 燒熱油鍋,加白糖和少量水令糖溶化,煮至糖汁變成米黃色,放進炸淮山塊,不停翻炒,令淮山塊沾勻糖漿,撒上黑芝麻。

食用 當早餐食用。

注意事項:糖尿病患者不宜食用。

【功效】補氣益腎‧潤燥通便

不同加工方法製成的淮山保健效果各異
* 薯蕷皂貳元的含量由高至低依次為土製、清炒、麩製、鮮品。
* 水溶性游離氨基酸含量由高至低依次為清炒、鮮品、米製、土製。
* 蜂蜜補脾胃,並可保護淮山的磷脂,蜜麩製淮山及麩製淮山宜用於脾胃食療。
* 米製淮山和土製淮山的微量元素、游離氨基酸等營養成分較高,宜用於滋補食療。

黃金淮山圓

【功效】補脾胃‧益肺腎‧烏鬚髮

用途　適用於經行暈眩，頭髮花白。

材料　鮮淮山 700 克，白糖 300 克，糯米粉 250 克，黑芝麻、生粉各 50 克，雞蛋 2 隻。

做法
1. 雞蛋打散，加生粉拌成稀蛋漿。
2. 淮山去皮，洗淨，切片，蒸熟後搗成泥，加白糖、糯米粉、生粉拌勻。
3. 把淮山粉搓成圓子，蘸上蛋漿，撒上黑芝麻，放進熱油鍋內，炸至金黃色浮起，撈出即成。

食用　隨意食用。

雞蛋

淮山扁豆飯

【功效】理氣健脾

用途　適用於肝鬱脾虛的慢性肝炎。

材料　紅棗 300 克，生切淮山 100 克，扁豆 50 克，陳皮 1 角。

做法
1. 材料洗淨，淮山切小粒；紅棗去核，切碎；陳皮浸軟，去內瓤，切細絲。
2. 所有材料放碗內，隔水蒸熟。

食用　當正餐食用，每次食 50-100 克。

紅棗

96